Il était une fois un oursin

qui était un porc-épic

qui était une tête d'enfant

qui était un radis

qui était une orange

qui était le soleil

qui était la lune

qui était un poisson-lune

qui était la bague avec un rubis

qui était un serpent enroulé

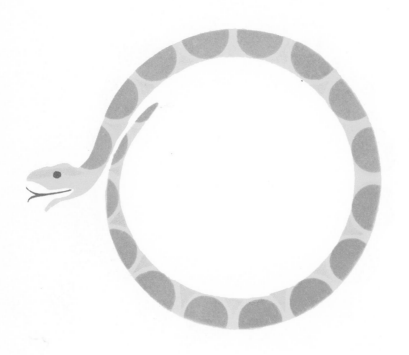

qui était un collier de corail

qui était une ronde d'enfants

qui était une couronne d'or

qui était un gâteau avec des bougies

qui était une cage avec des oiseaux

qui était des flamands

qui était des arbres en automne

qui était une cabane

qui était une pointe de crayon

qui était un clocher

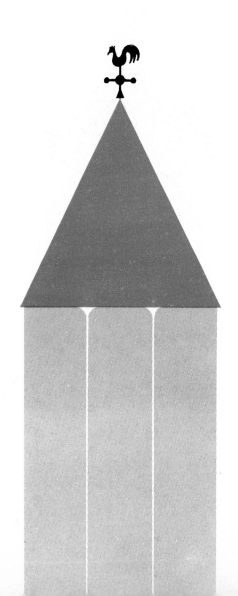

qui était une quille

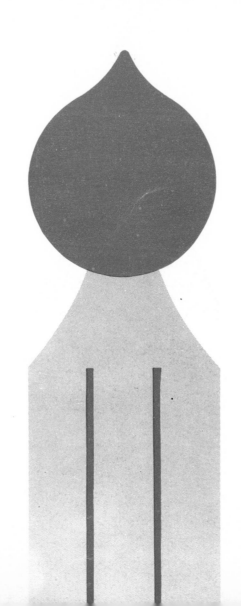

qui était une poupée en papier

qui était un trou de serrure

qui était un bonnet de ski

qui était un chapeau de carnaval

qui était un volcan en éruption

qui était un soleil de feu d'artifice

qui était un dahlia rouge